D1639083

Flyermania

Die Gestalten (Hg.)
Ullstein Fun Factory

Fly•er {´flaie} engl. s.

1. **Fliegende(r m)**
2. **Fliehende(r m)**
3. **Flieger m: a) Pilot m,**
   b) Flugzeug n
4. **Ex' preß(zug) m**
5. **Rennpferd n**
6. **pl. Freitreppe**
7. **am. sl. Sprung m**
   mit Anlauf
8. **sl. gewagte**
   Spekulati' on
9. **am. Flugblatt n,**
   Handzettel m für
   Jugendtanzveranstaltung mit
   Schallplattenunterhaltern

Es ist übertrieben zu behaupten, daß mit dem Beginn von House und Techno der Flyer als Informationsmedium erfunden worden wäre, aber er hat mit Sicherheit eine bedeutende Entwicklung erfahren.
Ursprünglich entstand der Einsatz von Techno-Flyern in England aus der Tatsache heraus, daß die dortigen Raves zunächst illegal stattfanden und natürlich nicht übers Radio angekündigt wurden. Der pfiffige Clubgänger wußte allerdings, in welcher Bar die Einladungen für die Party (die meist noch am selben Abend stattfand) zu finden waren. Tatsächlich haben Flyer eine ähnliche Wirkung wie jene Handzettel, die Samstagmittags an Touristen auf der Fußgängerzone verteilt werden, sie sind wohl das schnellste Printmedium und fliegen direkt in die Zielgruppe. Plaziert an den Schnittpunkten der modernen Ausgeh-Kultur (Bars, Cafés, Platten- & Klamottenläden, Galerien, Frisöre, etc.) liegen Flyer höchstens ein bis zwei Wochen vor der Veranstaltung aus.
Den Rest macht dann die Mundpropaganda. Mit zunehmender Anzahl der Clubs und Vergrößerung der Events entwickelte sich parallel auch eine Steigerung im Gebrauch visueller Mittel. Waren die ersten Flyer noch kopierte Schwarzweißzettel, beherrschten schon nach ein paar Jahren vierfarbige Hochglanzdrucke,

gefalzt und ausgestanzt, mit kaleidoskopischen Fraktal- und 3D-Graphiken das Bild. 'State of the art' in der rasanten Entwicklung der Produktionswerkzeuge sind die Sonderfarben. Schreiend rot, grün, gelb oder metallisch glitzernd wie der Lack auf Vaters Audi 80.
So mancher Drucker ist auf diese recht teuren Sonderfarben nicht gut zu sprechen. Die Farbe hält nicht auf jedem Papier und vor allen Dingen braucht sie lange zum Trocknen. Man kann die frischen Druckbögen erst nach Stunden aufeinander stapeln - die Handzettel sind so empfindlich wie frisch bemalte Ostereier, und so manche zu früh bewegte, geschnittene oder unklug weiterverarbeitete Partie ist schon komplett in den Müll gewandert. Sonderfarbe heißen sie aber eigentlich deshalb, weil sich der Farbton nicht durch die Mischung der vier Grundfarben Cyan, Magenta, Schwarz und Gelb (ähnlich wie beim Wassermalkasten) der für den Drucker maßgeblichen Euroskala zusammenpanschen läßt. Da leuchtet oder glitzert nämlich noch gar nichts, denn alle Bestandteile des Chemiebaukastens zusammen erhitzt, so wissen wir aus frühester Jugend, ergeben immer schwarz-grünen Schaum und nicht den angestrebten Plastiksprengstoff.

Ähnlich wie beim Sampling in der Musik baute auch die Flyergestaltung oft auf der Kombination assoziativer Elemente aus bekanntem und beliebtem Zeichenrepertoire auf. Gemäß dem Motto: Scannen was der Scanner hält, begann bald der Ausverkauf im visuellen Supermarkt mit zunehmender Beliebigkeit und Austauschbarkeit. Flyer sind, wie andere visuelle Medien auch, immer ein Spiegel ihrer Zeit und geben ein anschauliches Bild über die Evolution des House- und Techno-Szenarios vom Underground bis zum Mainstream.
Regierte am Anfang unangefochten König Smiley, wurde mit einsetzender Weltraumverehrung gern auf Spock oder andere Populärastronauten zurückgegriffen. Die Begeisterung für klebrigen Kräuterlikör und das Verändern von Markennamen sind ebenso untrennbar mit dem Flyer verbunden wie Kai Krause, dessen KPT Photoshop Filter an

jedem zweiten Flyermotiv gebogen und gezerrt haben. Wie der Jägermeister erlebte die in den 70er Jahren beerdigte Zentralperspektive in Form von 3D geränderten Phantasiewelten (Tunnelflug und Schachbrettmuster) eine heftige Renaissance. Nachdem Bildanalogien oder Markenverballhornungen, von szenefremden Hallodries vereinnahmt, auf lustige T-Shirts gebannt und in Freibädern und auf Minigolfanlagen zur Schau getragen wurden, stilisierten sich immer stärker Motive heraus, die spezifisches Abbild der Computerprogramme waren mit denen sie erzeugt werden. Insider sehen an so mancher Flyermappe, wann deren Gestalter das Freehand 4.0 (oder höher) begriffen hat. Da wird gelayert, vektorisiert und perspektivisch gekrümmt was die SIMMs hergeben.

Soviel zur Geschichte, doch wie spielt sich das Leben eines Party-Flyers ab?
Nachdem die frischen Flyer, (meist freitagnachmittags) vom Drucker in handliche Kartons abgepackt wurden, sorgt nun der Veranstalter, oder ein von ihm beauftragter FlyerVerteiler (so etwas gibt es in jeder größeren Stadt) für eine reibungslose Verbreitung der Handzettel. Dies geschieht, indem die Verteiler abends in die meist gerade öffnenden Klubs gehen, um sich dort frühzeitig einen guten Platz für ihre(n) Stapel Flyer zu sichern. Dort warten die Flyer dann auf Kundschaft. Zumindest so lange, bis der nächste Flyerverteiler oder gar der Klubbesitzer kommt, der die vorteilhaft ausgelegten Handzettel einer kritischen Prüfung unterzieht. Oft mit dem amtlichen Endergebnis, daß Flyer für potentielle Konkurrenzveranstaltungen ohne großes Federlesen vom Präsentierteller verschwinden und ebenso unsentimental wie endgültig ihren letzten Weg in die Altpapierverwertung antreten.

Nachdem der Flyer also 1-2 Wochen vor der angekündigten Veranstaltung in den lokalen Klubs 'ausgelegt' wurde, wird nun der Rest des normalerweise zwischen 1.000 und 10.000 Exemplare liegenden Kontingents unter der Woche in Schallplattenläden, Kneipen, Modegeschäften etc. und wo sich die Zielgruppe sonst noch zwischen Sonntag und Freitag herumtreiben könnte, verteilt. Ein Ausgehsüchtiger betritt dann (beispielsweise) seinen Schallplattenladen, welcher meist neben dem Verkauf von Vinyl auch eine wichtige Nebenfunktion als lokale Infobörse hat, und

prüft mit betonter Kennermiene das auf 3/ 5/ 10 Stapeln ausliegende Angebot an Frischflyern. Dann zupft er mal hier und mal dort einen, zwei, drei Flyer von diesem oder jenem Stapel und läßt sie meist kommentarlos zur späteren Prüfung in seiner Jackentasche verschwinden. Damit sind diese Flyer dem grausamen Schicksal verschmäht zu werden und in dicken Stapeln liegen zu bleiben entkommen. Passiert aber genau das, so hat der Graphiker versagt, keine Sau zieht es auf die Veranstaltung. Der Veranstalter hat schlechte Laune, denn die Hütte ist ebenso leer wie seine Börse. Wenn also der ohnehin chronisch unterbezahlte Graphiker keine Vorkasse für seine Arbeit verlangt hat, so ärgert er sich meist gleich mit. Da mag der Graphiker ruhig anführen, daß DJ Dorfkrone und MC Arschgesicht nun mal nicht ziehen... Jeder weiß, mit einem ordentlichen Flyer ist auch dann die Hütte einigermaßen voll. Dumme Geschichte! Liebe Graphiker, die Faustformel ist: Bekanntheitsgrad des DJ multipliziert mit der Kultnote des Klubs geteilt durch die Konkurrenzveranstaltung minus Honorar ergibt die Flyerauflage. Hat das Ergebnis ein negatives Vorzeichen: unbedingt Vorkasse nehmen.

Nun könnte ein Klubbesitzer oder Veranstalter Werbung nach dem Maschinengewehrprinzip machen und sich sagen:'Ist mir egal, ich kleister die ganze Stadt zu mit meinen Zetteln. Ob die gut gemacht sind oder nicht - die Masse macht's- ein paar Leute werden schon vorbeikommen.' Diese Strategie mag für Baumärkte in Stadtrandlage, oder Pizzerien mit Lieferservice zu nachtschlafender Zeit funktionieren. Der moderne Ausgehmensch ist so nicht zu fangen. Er identifiziert sich gerne mit dem 'Laden', in dem er verkehrt. Und so ist ihm stark daran gelegen, daß dieser ein besonders lässiges Erscheinungsbild mittels seiner Werbung kultiviert. Dies weiß der kluge Flyerbastler und verpaßt 'seinem' Klub ein individuelles Erscheinungsbild. Er bildet ein 'family-face' heraus, das dem Klub einen 'Charakter' verpaßt und über seine Flyer- Variationen einen Wiedererkennungseffekt herstellt. Erscheint dann das nächste Modell der meist im Wochen- oder Monatstakt aufgelegten Flyer auf dem Präsentierteller, so wird dieses meist bevorzugt aus der Masse der Konkurrenzveranstaltungen herausgefischt. Konsumentenbindung nennt man das.

Nun aber wieder zu unserem Party-Flyer, der

also in jenem Schallplattengeschäft in die Hosentasche gewandert ist und dann tragischerweise oft genug dort bleibt. Das heißt, er wird nach einem 60 Grad Hauptwaschgang mit Wäscheleinentrocknung als unförmiges, ausgelaugtes Etwas mit spitzen Fingern aus den Tiefen jener Tasche gepflückt, in die er erst unlängst mit ein zwei Brüdern und Schwestern (welche auch nicht besser aussehen) verschwunden war. Merke, die Waschmaschine ist der natürliche Feind des Party-Flyers. Wer einmal versucht hat, Location, Datum, den Live Act einer vielversprechenden Veranstaltung oder gar eine Wegbeschreibung dorthin, einem zellulosen, stumpf entfärbten Klumpen ehemaliger Druckware, die die dröge Konsistenz eines abgetrockneten Tempotaschentuches nach der Heuschnupfensaison besitzt, zu entlocken, der sieht sich, aus der Erwartung eines flotten Abends gerissen, urplötzlich am Rande einer freitäglichen Sinnkrise. Visionen von Mau- Mau Runden mit Oma und kleiner Schwester nagen am Gemüt. Ein bitteres Schicksal - besonders für den Flyer.

Ist dieser nun aber nicht von gegnerischen Drückerkolonnen entsorgt worden und war nicht unmittelbar in Mutters Hauptwaschgang involviert, so passiert vielleicht das folgendes: Der Abend unseres Partygängers rollt bestens an, und einer wohlverdienten Pause im freitäglichen Ausgehstreß soll in der Randzone des nächtlichen Klubgetümmels mit einer gutgestopften Haschischzigarette der ihr gebührende Glanz verliehen werden. Blättchen, Feuer, Tabak und das Piece sind am Start. Die Begleitung unseres Partylöwen raunt diesem ein tonloses 'Filter' zu, und schon wird widerspruchslos und vollkommen unsentimental ein briefmarkengroßes Stück aus unserem Helden herausgerissen.
Ich bitte dabei folgendes zu bedenken. Flyer sind meistens zu dünn, um einen ordentlichen Jointfilter daraus zu drehen. Offsetfarbe ist extrem stinkig und in jeder Beziehung ungesund, weshalb von diesem Verfahren (auch wenn man den Filter nicht ankokelt oder aufißt) dringend abgeraten wird. Und außerdem: Einem so amputierten PartyFlyer ist erfahrungsgemäß ein freudloser Lebensabend beschieden. Solch einen Schwerstbeschädigten steckt man nicht hinter den Badezimmerspiegel, klebt man nicht ins Raverfleißheft, wird man selten an der Pinnwand in der Küche neben den obligatorischen Schnappschüssen vom letzten Ibizaurlaub finden. Alles in allem. Nur eine

Handvoll Flyer kommt durch, und die haben sich ihren geruhsamen Lebensabend aber dann auch redlich verdient. Sie werden sorgsam gehütet, oder gar in der großen Pause auf Schulhöfen getauscht (by the way hat noch jemand einen Tresor 'Sonntagskonzert mit Henry' Flyer- erste Serie in grün?), wie kleine Trophäen gehätschelt. So manche Flyèrsammlung hat da schon lange die Funktion des Familienalbums eingenommen.

Der Flyer zeigt den Freunden, Ausgehkumpels, einem selbst: Man war dabei, es war Klasse, man gehört dazu, 'was haben wir gelacht'.
Die von uns hier gesammelten Flyer sind solche Überlebenden. Es sind Sternstunden der Flyergestaltung, Musterbeispiele dafür, was man sich einfallen lassen kann, um einer Veranstaltung ein unverwechselbares Gesicht zu geben, einen Wiedererkennungswert zu schaffen oder eine unbestimmte Vorfreude loszutreten auf etwas, was man bald erleben wird... Und so ganz nebenbei sind es oft die Lieblingsarbeiten von hervorragenden Graphikern.

Am Ende noch ein Hinweis in eigener Sache. Flyer werden meist aus Papier gemacht. Etwas Besseres ist uns leider noch nicht eingefallen. Papier wird meist aus Bäumen gemacht, und Bäume sind zu wichtig und wertvoll zum wegwerfen. Schmeißt die Flyer weder auf den Müll, noch in die Landschaft, auf die Straße etc, sondern bitte in die Papierverwertung. Dann wird bestenfalls Flyer aus Flyer gemacht.
Nein, ich besitze keine Latzhose.

Herzlichen Dank für ihre besondere Kooperation bei der Realisierung dieses Projektes an alle beteiligten Freunde und Graphikerkollegen.

Im Anhang von Flyermania befinden sich Informationen und Kontaktnummern zu allen Beteiligten in einem ausführlichen Adressverzeichnis. Wer also konkreten Bedarf an korrekter graphischer Dienstleistung verspürt, dem sei stark empfohlen dort anzufragen.

Die Gestalten

flyer {`flaie(r)} n

1 **animal, vehicle, etc going with exceptional speed.**
2 **airman.**
3 **airplane.**
4 **express train.**
5 **racehorse.**
6 **outdoor flight of stairs.**
7 **US sl. jump, leap.**
8 **sl. risky chance.**
9 **circus trapeze performer.**
10 **US handbill for youth-oriented dancing with record entertainers.**

House and Techno did not invent the flyer as a means of information, but it sure did undergo some serious development in their wake.
Originally, the illegal status of the first raves on British soil prohibited radio advertising, thus prompting the use of Techno-flyers. Cunning party-people had to know, therefore, what clubs would feature those palm-sized anouncements for (usually tonight's) event.

In fact, flyers have an impact similar to that of handbills to be distributed among tourists in the shopping district on a saturday afternoon; they are the fastest print medium available and can 'fly' directly into the target group.
Placed on the interfaces of todays urban public pleasure culture (bars, cafe's, record and clothes shops, galeries, hair stylists, etc.), a flyer precedes the event it advertises by no more than a week or two. What remains is done via mouth-to-mouth propaganda.
The increase in the number of clubs and in the dimension of events was paralleled by an expansive use of visual means. While the first flyers started as black-and-white photocopies, just a few years later four-colored, folded and punched-out glossy prints with fractalized, kaleidoscopic 3-D-graphics dominated the scene. Custom colors now are the state-of-the-art topping a breathtaking evolution of production techniques: screaming reds, greens, yellows or metallic hues like the paint job on daddy's family sedan. Not a few printers have reservations about these rather costly special effects. Their inks won't stick to every sort of paper, and they need substantial time to dry. Freshly printed sheets take hours before they can be stacked - such flyers are as sensitive as easter eggs still wet from paint, and often enough uncaringly handled lots have turned into garbage right away. Still, the designation custom color comes solely from the fact that they can't be mashed together like water colors by mixing the four basic shades of cyanide, magenta, black and yellow on the Euroscale, essential to the printer's craft. Nothing will gleam and glimmer yet, since earliest childhood experience tells us that all components from the chemistry set heated together always makes for dark-greenish foam and not the plastic explosive intended.

Not unlike sampling methods in music, the design of flyers is often founded on a recombination of suggestive elements drawn from popular sign systems. Scanner technologies soon allowed for an increasingly arbitrary and interchangable sell-out in the visual supermarket. Like other visual means, too, flyers will always be a mirror of their time and offer a vivid image of the evolutionary changes in the field of House and Techno, from Underground to Mainstream.

While King Smiley reigned without challenge in the beginning, the space craze that soon set in lifted Spock and his sci-fi-colleagues onto the throne, to be followed by other passing fancies. As much as enthusiasm for a certain sticky herb liquor or manipulated brand logos are indissolubly linked to the flyer, so is one Kai Krause, whose KPT Photoshop Filter has bent and distorted about every second flyer motif. Just like "Jägermeister", so did central perspective, once buried in the seventies, experience a major renaissance, the latter in the shape of three-dimensionally framed fantasy worlds complete with tunnel flights and chessboard patterns.

Now that image analogies and puns on brand names have found their way into public baths and onto miniature golf courses, printed on T-shirts by outsiders plundering the scene, more and more motifs have developed to rather precise representations of the computer programs that are used in generating them. Not a few flyer portfolios will tell an insider just where the graphic artist has come to grips with Freehand 4.0 (or higher). The results are layered, vectorized or distorted in perspective to SIMM capacity.

So much about history, now let's enter the actual life of a party-flyer.

After leaving the print shop in handy boxes, usually on a friday afternoon, a smooth spread of the fresh flyers is the job of either the event organizer or a specially hired FlyerDistributor (to be found in every larger city). The distributor seeks to secure his stack of flyers a good spot in whatever club he will visit early in the evening. There his flyers are waiting for customers, if only until a competing distributor arrives or even the club manager himself, who may severely scrutinize all those handbills advantageously on display. Often enough the official outcome for flyers advertising potentially competitive events will be their cold-hearted removal and immediate consecration to the wastepaper bin. Once our flyer has been laid out in local clubs a week or two before the announ-

ced event is due, the remainder of a contingent normally ranging between 1.000 and 10.000 copies is to reach record stores, bars, fashion boutiques or any other place possibly frequented by the target group during the week. A party addict then might, for instance, enter the record store of his choice, also serving as a hub on the local info-market, to check with a studied air of knowledgeability three, five or ten stacks of freshly circulating flyers. If one, two or three of these find their way into his coat pocket, they have escaped the cruel fate of disdain, of remaining buried under their heap undiscovered. In which case the graphic artist has failed, and not a single ass feels drawn to the event, thereby giving the organizer bad feelings about his place being as empty as his purse. And if our chronically underpaid artist hasn't negotiated advance payment for his work, he'll be in for bad feelings himself. No use arguing the market appeal of DJ Boondocker or MC Butthead...since everybody knows that a sound flyer will fill the place anyway to some extent. Too bad! To all you graphic artists, there's a simple formula, and it goes like this: publicity of DJ times cult status of club divided by competing event minus fee makes circulation of flyer. If there's a minus ahead of the result: advance payment absolutely required!

Now a club owner might think in terms of rapid fire advertising and tell himself: "Damn it, I'll paste the whole town with bills, well done or not. It's numbers that count, some people will call anyway." That may be a good strategy for pizza deliveries and suburban hardware stores, but it won't catch on with a contemporary party person. This one likes to identify with the place he visits and therefore appreciates a particularily casual appearance cultivated by its advertising. Every smart flyer composer knows this, thus individualizing "his" club. By creating a "family-face" he lends character to the club, while his flyer variations support effective recognition. Once the next issue of a weekly or monthly flyer is on display, it's prefered matter among the bulk of competing events. That's consumer allegiance.

Now back to our party flyer from the record store still in its coat pocket, where it often enough has tragically to remain. That is, after a medium heat washer cycle plus clothes line drying it'll be plucked an ungainly something from the depths of that pocket, where it had only recently vanished together with a couple of his brothers and sisters not looking any better now. Remember: washers are the natural enemies to party flyers. Trying to decipher date, location, live acts or even directions from a dull clod of former printed matter vaguely similar to a used, dried up paper hankie will inevitably tear you away from the good times aspired for and rather drive you to the verge of a friday crisis of meaning, where visions of cardgames with granny nibble away any positive thinking. What a bitter fate, especially for our flyer.

But should it not have been taken care of by enemy distributors or directly involved in mummies main washer cycle, perhaps the following may take place: Our party addict's evening is well on its way and calling for a well-stuffed joint in some chill-out corner besides the nightly hubbub, to add some glamour to his, the addict's, recreational break. Cigarette paper, lighter, tobacco and stash are standing by. Incidentally, his peer utters a request for some "filter", and, just like this, a stamp-sized piece of cardboard is being mercilessly torn out from our hero.
Please note the following: Usually, flyers arc too thin to make for good joint filters. Offset ink has a truly nasty stench to it and is by all means unhealthy, which is why the above procedure is anything but advisable, even if one does not burn the filter or eat it. And on top of that a party flyer thus amputated is to spend its old age in a rather unpleasant manner. These heavily handicapped are not to be tucked behind bathroom mirrors, not to be glued into some raver

collector's album, hardly to be found on the kitchen scrapboard next to those obligatory snapshots from last year's vacation on Ibiza. Just a handful of flyers will make it, and these have truly earned their pensionary status, carefully guarded, swapped during school break and cuddled like little trophies. Many a collection of flyers has already taken the place of the family photo album.

A flyer tells it to friends, buddies and yourself: You've been with it and it was great, you've belonged and "how much fun we had". The flyers collected here by us are survivors of that kind. They are highlights of flyer design and prime exhibits for what one can come to think of in order to achieve a high profile for an event, to create a value of recognition and to instill you with that certain joyful anticipation of something soon to be experienced...And last not least they are often the favorite works of outstanding graphic artists.

Finally, a word on our own behalf. Flyers are mostly paper-made. Unfortunately, we haven't come up with anything better yet. Paper is mostly made from trees, and trees are too important just to be thrown away. Do not throw your flyers onto the garbage pile, nor get rid of them in countryside or street, but give them to wastepaper recycling.At best, this will turn flyers into more flyers. Nope, I'm not walking round in Birkenstocks.

With deepest gratitude to our friends and colleagues for their outstanding cooperation in realizing this project. The appendix to Flyermania includes a comprehensive adress register of these graphic artists.

Those who have a concrete use for proper graphical service are strongly recommended to inquire there.

Die Gestalten

Translation by Johannes Sabinski

INSPIRED BY **bungalow**
FOR THE "NOW" PEOPLE

le hammond inferno

LE HAMMOND INFERNO / 1995 / 1000

bungalow

LE HAMMOND INFERNO / 1996

the disco bus
70 party

le perüc drei 29.08.96
john acquaviva

M.O.N. / 1996

'le hammond inferno'

LE HAMMOND INFERNO / 1994 / 1000

LILLY TOMEC / 1995 / 1500

SHA-KA-REE

Shake!

SHA-KA-REE & ODERMANN

Shake!

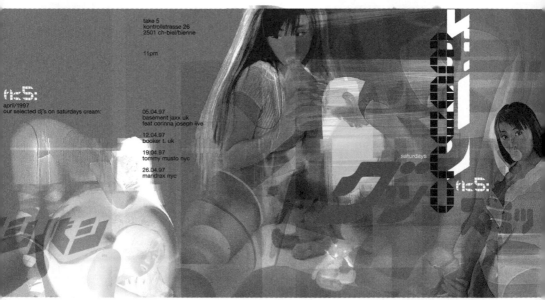

take 5
kontrollstrasse 26
2501 ch-biel/bienne

11pm

fx5:
april/1997
our selected dj's on saturdays cream:

05.04.97
basement jaxx uk
feat corinna joseph live

12.04.97
booker t. uk

19.04.97
tommy musto nyc

26.04.97
mandrax nyc

saturdays

fx5:

BÜRO DESTRUCT / 1997

PLANET CYBER POP
PLANET BOCHUM

DIE GESTALTEN / 1995 / 1500

Stereo Total
Pop Tarts

ROTER SALON • DONNERSTAG, 18.APRIL

KUNSTSTOFF 77 GMBH / 1997 / 12 000

PLANET PIXEL / 1996 / 20 000

LE HAMMOND INFERNO / 1994 / 2000

U-AGENCY / 1997 / 10 000

Only at Limelight, NYC

July96

ABUSE INDUSTRIES / 1996 / 1000

graf hadik
stein june 4th 6pm

IMPRESS YOUR PARENTS & COLLECT THEM ALL

ABUSE INDUSTRIES

SODOM & GOMORRHA
PRESENTS

just married.

O/R/EIL / 1995 / 5000

Le Freak

LILLY TOMEC / 1996 / 1500

TAP THE TWAT

SATURDAY: 26/10/96, 22:00
ENTRY 10.--, ANDERLAND
MUHLEPLATZ 11, MATTE BERN
DJ'S: MIX MAX, FRED, EMELY

BÜRO DESTRUCT / 1996

PLANET CYBER POP
PLANET BOCHUM.

DIE GESTALTEN / 1995 / 1500

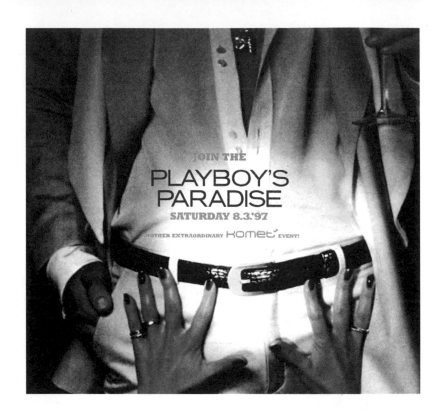

JOIN THE

PLAYBOY'S PARADISE

SATURDAY 8.3.'97

ANOTHER EXTRAORDINARY **komet**' EVENT!

BE YOUNG, BE A TIGER, BE RISQUÉ AT THE POOL

PLAYBOY'S PARADISE

"SPRINGTIME IN VEGAS"
SATURDAY 19.4.'97

ANOTHER EXTRAORDINARY **komet**' EVENT!

IT'S SUMMER, YOU'RE A LOVER, LET YOUR LIFE BE POP!

PLAYBOY'S PARADISE

"SUMMER LOVER FROM HAWAI"
SATURDAY 7.6.'97

ANOTHER EXTRAORDINARY **komet**' EVENT!

THE PLACE TO BE
AT EASTER SATURDAY:

EASTER AT

PLAYBOY'S
PARADISE

SATURDAY 29.3.'97

23:00 H, AM ZWIRNGRABEN 7-9, RIGHT AT S-BHF. HACKESCHER MARKT

**HAVING MORE EXPENSIVE COCKTAILS AT THE KOMET LOUNGE
SMOKING BIGGER CIGARS IN THE FERRARI ROOM
CHASING GAY & PLAYMATES IN THE HUNTING LODGE
FLIRTING IN THE ARROGANT SUPERMODERN LIVING ROOM**

**DANCING TO THE STOMPING DISCO HOUSE OF
MAXWELL PHEERCE! & TONI RIOS!! (OMEN, FFM)
(NO MORE MARTINIS!)**

MARC SCHILKOWSKI / 1997 / 12 000

LE HAMMOND INFERNO / 1995 / 2000

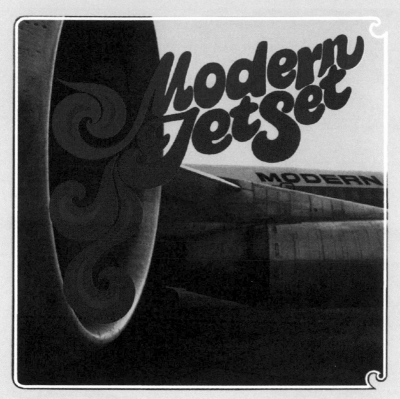

LE HAMMOND INFERNO / 1995 / 2000

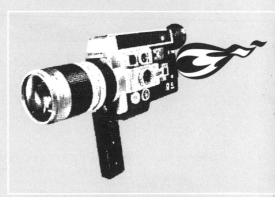

THÖNI PHILIPP / 1997 / 500

LE HAMMOND INFERNO / 1996 / 5000

Pizzicatomania

Welcome to the Boogaloo Groove garage

serving sundays now !

FRIDAY 14. 03. 97/ 22:00 ISC
DANI KÖNIG & V-KEY & PUMPIN LEE
BASICS IN TECHNO AND HOUSE
NEUBRÜCKSTRASSE 10 - BERN   SLOT MACHT MOBIL-LOPETZ:BÜRO DESTRUCT

PLANET PIXEL / 1996 / 25 000

PLANET PIXEL / 1996 / 20 000

HELL INC. / 1996 / 400

U-AGENCY / 1997

HELL INC. / 1996-1997 / 400

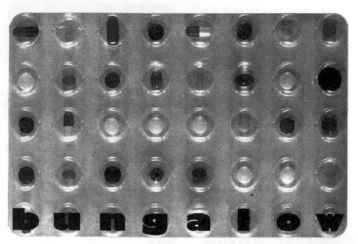

LE HAMMOND INFERNO / 1997 / 2000

DIE GESTALTEN / 1995 / 1500   FRONT

DIE GESTALTEN — BERLIN

Abziehbilder sollen mit LSD getränkt sein

In einem Süchtelner Verbrauchermarkt lagen kürzlich wieder Flugblätter aus, die davor warnen, daß an Kinder Abziehbilder verschenkt werden, die mit LSD oder Strichnin getränkt seien. Wie die Polizei jetzt mitteilt, entbehren diese Warnmeldungen jeder Grundlage.

Can you pass the ACID-TEST?

hier lecken! → ← hier lecken!

BACK

innocence lost can never be regained.

ABUSE INDUSTRIES / 1994 / 1000

CRITZLER FONT INVESTIGATION / 1995

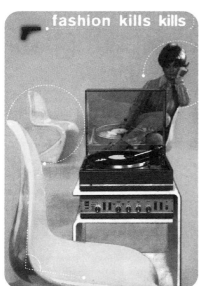

LE HAMMOND INFERNO / 1997 / 2000

U-AGENCY / 1997 / 10 000

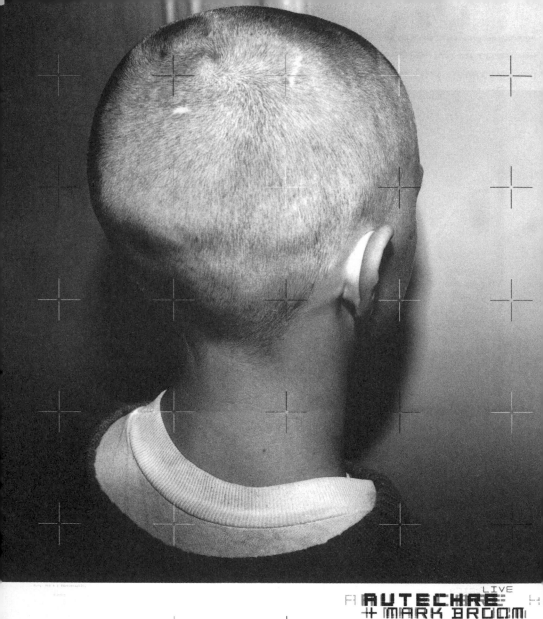

LIVE
AUTECHRE
+ MARK BROOM
PLUS GUEST DJs
RO TE FABRIK zürich
CLUBRAUM
DO, **03 : APRIL : 97**
21 UHR
HTTP //WWW HUGO CH

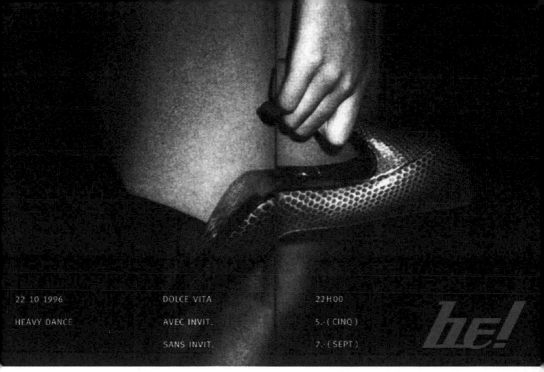

22 10 1996   DOLCE VITA   22H00

HEAVY DANCE   AVEC INVIT.   5.- (CINQ)

              SANS INVIT.   7.- (SEPT)

be!

DISCOVOLANTE / 1996 / 1000

CRAZY WORLD PRODUCTIONS / 1997 / 4000

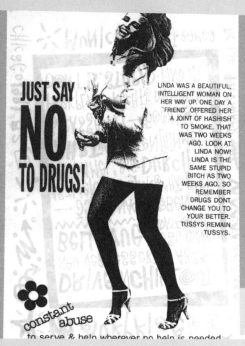

JUST SAY NO TO DRUGS!

LINDA WAS A BEAUTIFUL, INTELLIGENT WOMAN ON HER WAY UP. ONE DAY A `FRIEND` OFFERED HER A JOINT OF HASHISH TO SMOKE. THAT WAS TWO WEEKS AGO. LOOK AT LINDA NOW! LINDA IS THE SAME STUPID BITCH AS TWO WEEKS AGO. SO REMEMBER DRUGS DONT CHANGE YOU TO YOUR BETTER. TUSSYS REMAIN TUSSYS.

constant abuse
to serve & help wherever no help is needed

HUBERT AND MARIA WERE NICE YOUNG URBAN PROFESSIONALS ON THEIR WAY UP. IT SEEMED AS IF NOTHING COULD STOP THEM. BUT ONE DAY A `FRIEND` OFFERED THEM HASHISH TO SMOKE...

LOOK AT THEM NOW...

JUST SAY NO TO DRUGS.

OR DO YOU WANT TO END UP LIKE THEM?

constant abuse TO SERVE & HELP WHEREVER NO HELP IS NEEDED.

abuse in dust ries
jennifer sucks.

Mark   Jennifer

Mark: "Yes, jennifer sucks, but it´s more of a slurping than an actual sucking".

bonender & m-moll clemens, d.f, gab.el, gerana, kriz, nils, romeo **house** garage, deep & tribal

speed-o, slack hippy, head and guests ambient, dub& space **chillout**

sunday, july 4th 8:00pm - 2:00am

PAVILLON / VOLKSGARTEN

special "4th of july"bonus: *Barbecue*

yes, i am

tatjana patitz
so what´s the big deal?

SUNDAYS 8:00 PM - 2:00 AM

clemens & m-mol, gab.el, gerana, garage, deep & tribal **house** speed-o, slack hippy, head etc ambient, dub& space chillout

PAVILLON / VOLKSGARTEN

abuse industries: and all your dreams come true

yes, I´ve slept with

linda evangelista
so what´s the big deal?

SUNDAYS 8:00 PM - 2:00 AM

clemens **&** m-mol, geb.el, gerana, garage, deep & tribal **house**
speedi-o, slack hippy, head etc ambient, dub& space **chillout**

PAVILLON / VOLKSGARTEN

abuse industries: and all your dreams come true

dj blake baxter + robert görl (live pa)

dj prozac + dj patrick pulsinger

dj abe duque + acid scout (live pa)

area 2: the rancho relaxo allstars (live pa)

special guests: b. low (live pa)

disko b *freaky*

samstag 10.05.1997
ultraschall-münchen

doors open: 23h, grafingerstr.6, kunstpark ost

disko b *wiked*

disko b *modern*

samstag 03.05.1997
hd800 mannheim-neckarau

doors open. 22h, Angelstr. 5-10

dj hell + robert görl (live pa)
the rancho relaxo allstars (live pa)
dj patrick pulsinger + acid scout (live pa)
dj abe duque + dj barbara
dj prozac + suchtrupp (live pa)
dj blake baxter + dj upstart

disko b *funfarm*

do.01.05.1997 hamburg-powerhouse
fr 02.05.1997 essen weststadt 5-7
sa 03.05.1997 mannheim-neckarau hd800
mi 07.05.1997 köln-apollo
fr 09.05.1997 frankfurt-box
sa 10.05.1997 münchen-ultraschall

disko b *dandy*

freitag 02.05.1997
weststadt 5-7 essen

doors open. 22h, biblaron chauraun, essen zentrum

dj abe duque + acid scout (live pa)
dj hell + dj prozac + robert görl (live pa)
area 2: dj upstart + suchtrupp (live pa)
the rancho relaxo allstars (live pa)

disko b *sleazy*

(STRADA / 1997

1997

DON VALENTINITSCH + DER KÖNIG VON HONOLULU / 1996 / 5000

sportunfilm **mit** le hammond infern

z.b.

LE HAMMOND INFERNO / 1997 / 1000

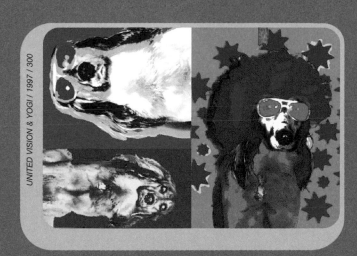

UNITED VISION & YOGI / 1997 / 300

BÜRO DESTRUCT / 1997

REITSCHULE CH-BERN DACHSTOCK

29.3.97

TRADITIONAL
SWISS TECHNO
AND HOUSE
EVENING

TIK JAM
OLIVER MENTAL GROOVE
V-KEY
PUMPIN LEE
KEV THE HEAD

KEEP ON DANCING!

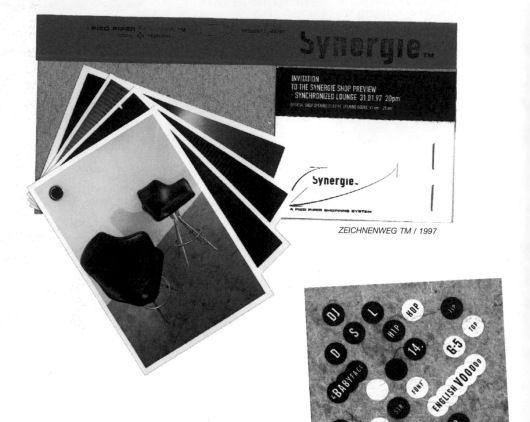

ZEICHNENWEG TM / 1997

CORNEL WINDLIN / 1997 / 500

DIE GESTALTEN / 1996 / 300

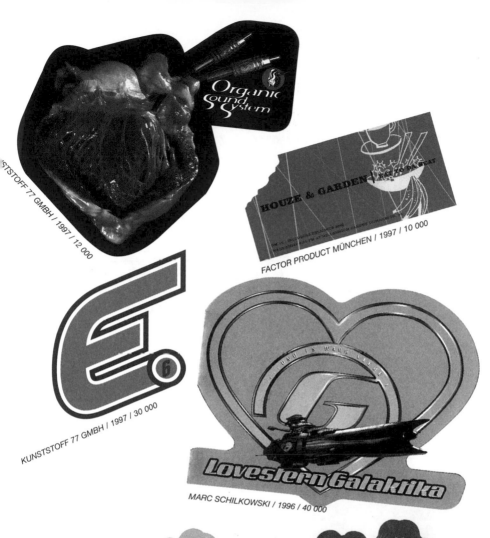

STSTOFF 77 GMBH / 1997 / 12 000

FACTOR PRODUCT MÜNCHEN / 1997 / 10 000

KUNSTSTOFF 77 GMBH / 1997 / 30 000

MARC SCHILKOWSKI / 1996 / 40 000

MARC SCHILKOWSKI / 1996 / 20 000

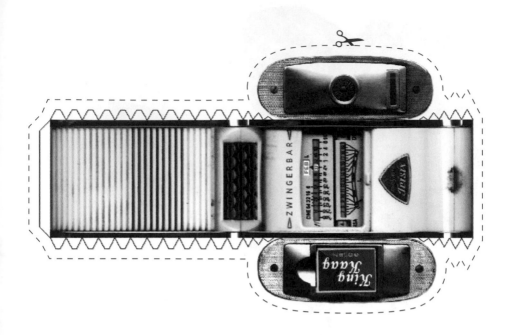

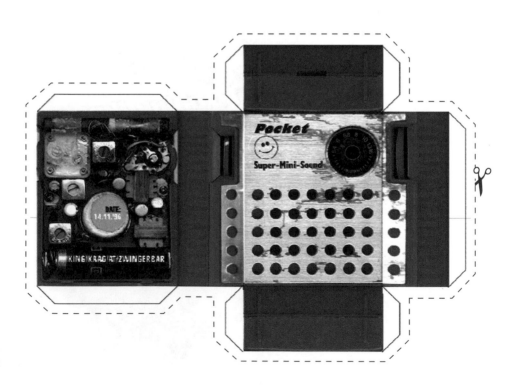

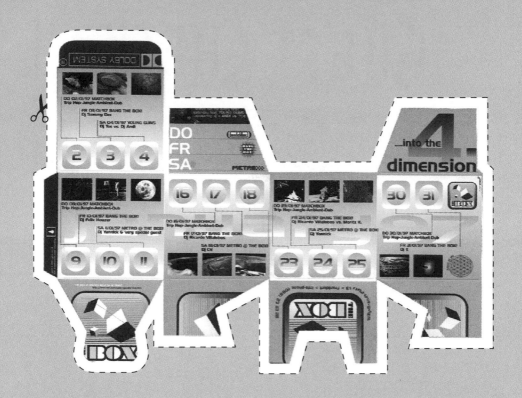

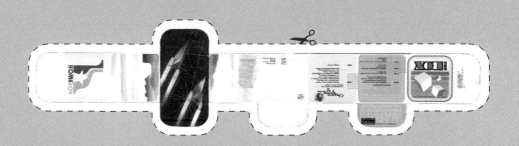

KUNSTSTOFF 77 GMBH / 1997 / 5000

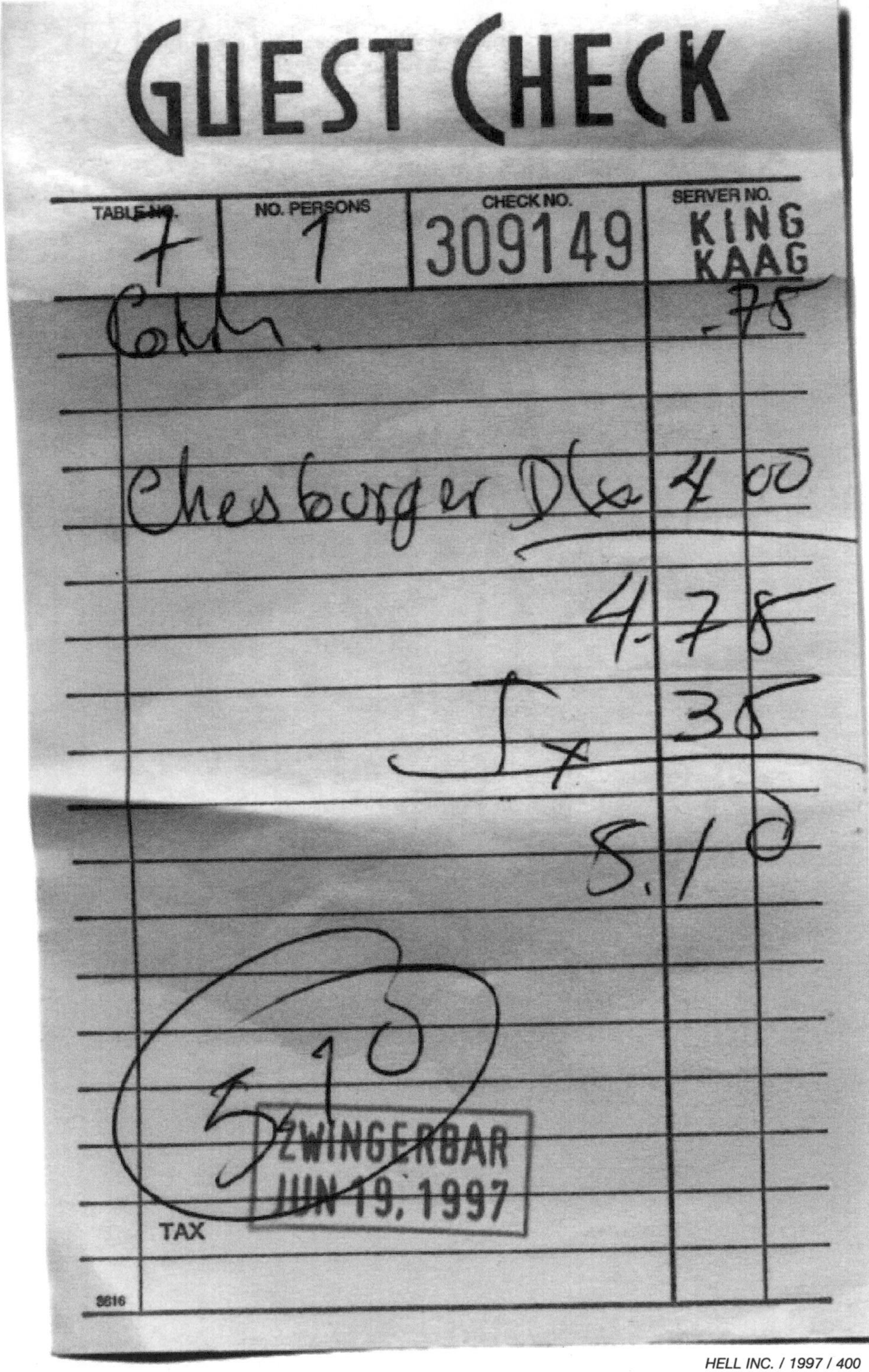

GUEST CHECK

TABLE NO.	NO. PERSONS	CHECK NO.	SERVER NO.
7	1	309149	KING KAAG

Coll.   .75

Chesburger Dlx   4 00

                                    4.78

        Tx   38

                                    5.10

ZWINGERBAR
JUN 19, 1997

TAX

3616

U-AGENCY / 1994 / 400

U-AGENCY / 1995 / 1000

DIE GESTALTEN / 1995 / 6000

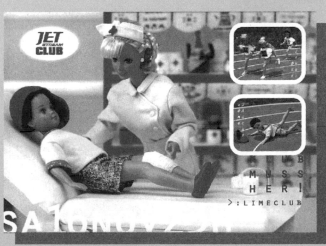

CRITZLER FONT INVESTIGATION

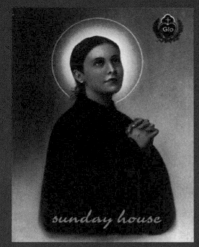

DIE GESTALTEN / 1994 / 1500

CORNEL WINDLIN / 1995 / 2000

BÜRO DESTRUCT / 1996

MAI 19 · DJ GOO

Reefer Madness

"LE CLUB LE PLUS COOL"

CORNEL WINDLIN / 1995 / 1200

U-AGENCY / 1997 / 500

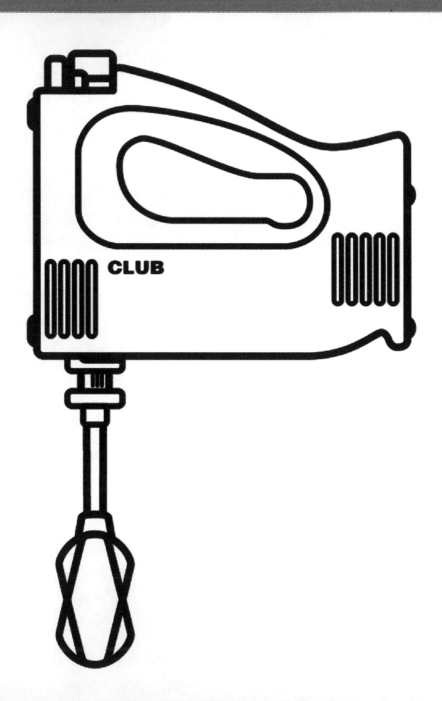

CLUB

CORNEL WINDLIN / 1995 / 1200 / BACK

リーファー・マッドネス
オーガナイゼイション・プレゼンツ

DJ クラッシュ (東京)

サポート＝DJ マーク (チューリッヒ)

時間＝1995 年 7 月 6 日午後 10 時スタート
場所＝チューリッヒ市内秘密の地下クラブ

このイヴェントを逃す奴は馬鹿モノだ!

FRONT

INVITATION ++ 25. NOV. 1995 ++
++ [CLUB AXIOMATICS] ++

++ ONE YEAR BIRTHD. CELEBRATION ++
++ AT SABOTAGE STORE ++ Q7, 28 ++
++ 68161 MANNHEIM, GERMANY ++
++ EASY LISTENING, EASY DRINKING ++

ACCESS AFTER 21.00 | PHONE 0621 21042

rot.fab.ZRH ⟨24:04::97⟩ 21:00

APOLLO 440

+ DJ MELLOW

CORNEL WINDLIN / 1997 / 2000 /

BACK

SABOTAGE™

KEEP THIS COUPON TO GET

25% OFF RETAIL - PRICE

25.11-25.11 ONLY VALID FOR SABOTAGE PRODUCT RANGE

ZEICHENWEG TM / 1995
ARTISTSUPPORT : FORMGEBER

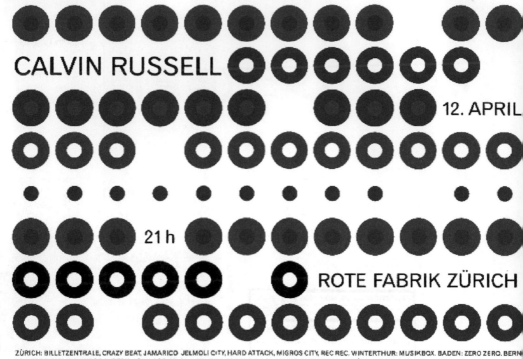

CALVIN RUSSELL

12. APRIL

21h

ROTE FABRIK ZÜRICH

CORNEL WINDLIN / 1997 / 1200

ZÜRICH: BILLETZENTRALE, CRAZY BEAT, JAMARICO JELMOLI CITY, HARD ATTACK, MIGROS CITY, REC REC. WINTERTHUR: MUSIKBOX. BADEN: ZERO ZERO. BERN:
LOLLYPOP. BIEL: LOLLYPOP. LUZERN: LOLLYPOP. ST. GALLEN: BRO RECORDS. LAUSANNE: DISCABRAC. GENÈVE: SOUNDS Tel. 01-481 81 21 http://www.hugo.ch

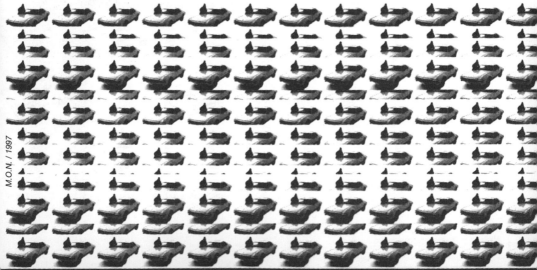

M.O.N. / 1997

playhouse

k.house presents playhouse night
montag dreizigster juni 97
live pa von LoSoul
an den plattenspielern . roman . heiko m.s.o. . ata
start 22 uhr im cafékesselhaus, rheinstr.95 darmstadt

franctone's sunday morning dream

so 11. 05. 97 05.00 till 12.00
DJ franctone DJ madness & crazy dancer

gaskessel sandrainstrasse 25 3007 bern/near marzilibad   gaskessel

MARC KAPPELER / BLECH. / 1997 / 10 000

Fr18.04.97 Subversive Style presents:

LIQUID HOUSE® *NEW YORK HOUSE NIGHT*

Dino Arduini (Azul Records, London), **DJ Sandiego** (Liquid House)
DJ Janosh (Resident DJ Subversive Style, Electric Union)

Vocal Animation by D. Dee Nice & Dance Animation, jeep special decoration, free fruits

Doors 21.00h/gaskessel, Sandrainstr. 25, Berne   gaskessel

afterhour club

mr. mike's late night show

so 15. 06. 97 05.00 till 12.00 DJs mr. mike and guest

gaskessel sandrainstrasse 25 3007 bern/near marzilibad   gaskessel

afterhour club

mr. mike's late night show

so 18. 05. 97 05.00 till 12.00 DJs mr. mike and guest

gaskessel sandrainstrasse 25 3007 bern/near marzilibad   gaskessel

3x MARTIN WOODLI / BLECH.ZÜRICH / 1997 / 3000

FACTOR PRODUCT MÜNCHEN / 1997 / 500

saturdays at take5:

cream

BÜRO DESTRUCT / 1997

100 Jahre Tanzmusik im Zündfunk

FACTOR PRODUCT MÜNCHEN / 1997 / 5000

M

**Tanzveranstaltung
am 1. Dezember**

**HipHop-Musik mit den
Discjockeys DSL, Sebb & Gast**

CORNEL WINDLIN / 1995 / 1500

FACTOR PRODUCT MÜNCHEN / 1997 / 10 000

tom novy

goes millennium

deep & dirty

ab mal jeden freitag

+ open-air-station

m i l l e n n i u m

tom novy

goes millennium

deep & dirty

ab mal jeden freitag

open-air-station: partist, schuler-meyer

m i l l e n n i u m

(STRADA

Freitag 28 | 3 | 97

DJ Felix da Housecat

electronic music club kunstpark ost, grafinger str. 6, ostbahnhof münchen

Chicago Wild Style

DJ Felix da Housecat
(laidback classics)

Dj Lester
optional münchen

Dj Roland Appel
(tucul flash camjam records münchen)

Dj Phrank
münchen

(STRADA

Southern Sessions
present:

Freitag 25 | 4 | 97

No U-Turn
Clubtour

Ultraschall
electronic music club kunstpark ost, grafinger str. 6, ostbahnhof münchen

area I:
ED RUSH
no u-turn london
FIERCE
no u-turn london
BAILY
no u-turn london
MC RHYME-TIME
no u-turn london
live pa: NICO
no u-turn london
EMPEROR:RYAN
state of mind london

area II:
ANDY MATHDOCKS
state rec manchester
CHRIS DE LUCA
funk:trolog - m.o.s. defcom rec.

Ultraschall
electronic music club kunstpark ost, grafinger str. 6, ostbahnhof münchen

(STRADA

Freitag 11 | 4 | 97

Live Pa: Speedy J

Something For Your Mind...

Speedy J
plus9 rotterdam
Dj Nik Kozine
disko-b münchen
Dj Michaela Grüner
disko-b münchen

area II: optional records prasen
Dj Alex
optional münchen
ull:procent / Q-Burns
state of flux münchen

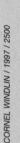

CORNEL WINDLIN / 1997 / 24 000

CORNEL WINDLIN / 1997 / 2500

CORNEL WINDLIN / 1997 / 20 000

M.O.N. / 1996

Very Limited Edition! Das Reefer Madness Sommer '95 T-Shirt!
Erhältlich in 2 Grössen (Ultra Small oder XX Large) Fr. 35.– + Porto, bei
Reefer Madness, Merchandising Department, Postfach 675, 8059 Zürich

Donnerstag, 6. Juli

ab 22 Uhr

(Tokyo/Mo'Wax)

(Zurich/Mama Notua)

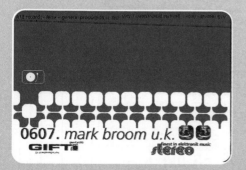

0607. mark broom u.k.

finest in elektronik music
stereo

siebzehnter . achter
daniel bell is losing control

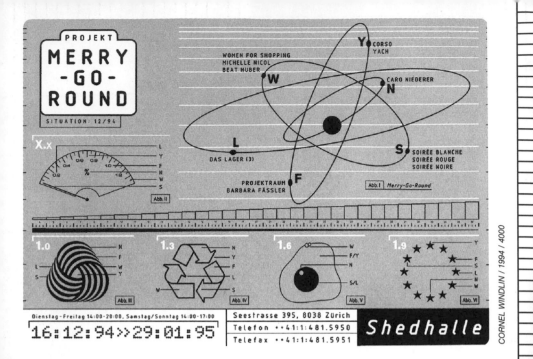

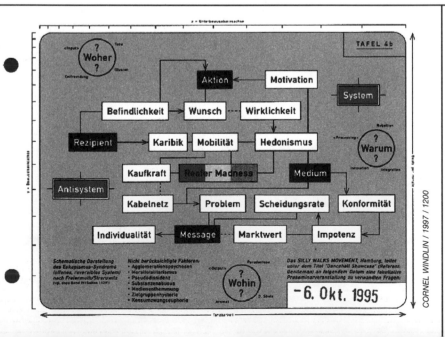

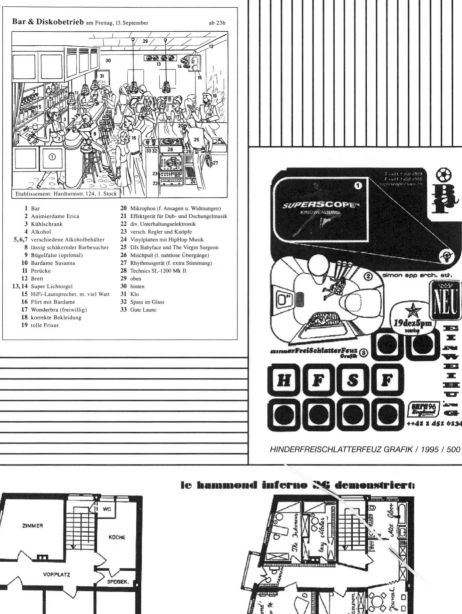

Bar & Diskobetrieb am Freitag, 13. September   ab 23h

Etablissement: Hardturmstr. 124, 1. Stock

1	Bar	20	Mikrophon (f. Ansagen u. Widmungen)
2	Animierdame Erica	21	Effektgerät für Dub- und Dschungelmusik
3	Kühlschrank	22	div. Unterhaltungselektronik
4	Alkohol	23	versch. Regler und Knöpfe
5,6,7	verschiedene Alkoholbehälter	24	Vinylplatten mit HipHop Musik
8	lässig schäkernder Barbesucher	25	DJs Babyface und The Virgin Surgeon
9	Bügelfalte (optional)	26	Mischpult (f. nahtlose Übergänge)
10	Bardame Susanna	27	Rhythmusgerät (f. extra Stimmung)
11	Perücke	28	Technics SL-1200 Mk II
12	Brett	29	oben
13,14	Super Lichtorgel	30	hinten
15	HiFi-Lautsprecher, m. viel Watt	31	Klo
16	Flirt mit Bardame	32	Spass im Glass
17	Wonderbra (freiwillig)	33	Gute Laune
18	korrekte Bekleidung		
19	tolle Frisur		

CORNEL WINDLIN / 1996 / 200

HINDERFREISCHLATTERFEUZ GRAFIK / 1995 / 500

le hammond inferno 96 demonstriert:

vorher

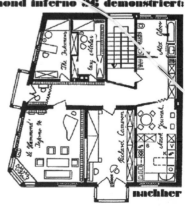

nachher

LE HAMMOND INFERNO / 1996 ; 400

An/to

Stationen/stations ① **Berlin**
                    ② **Paris**
                    ③ **Genf**
                    ④ **NYC**

BERLIN

ZEICHENWEG TM / 1995

HARTHOUSE SESSION

HARTHOUSE_SESSION

der dritte raum (live)
dj good groove
dj pauli
dj m.p. nuts

VIBRATION CLUB
forst/baden/heidesee 1/tel (07251) 17344
19.07.97 22H
HARTHOUSE

KUNSTSTOFF 77 GMBH / 1997 / 40 000

RAW ELEMENTS AT THE BOX

Mi, 5.6.96

DJ **STEVE BUG** vs. RESIDENT DJ **YANNICK**
24H-OPEN END. THE BOX | WILLY-BRANDT-PLATZ 1-3, FRANKFURT/M

UNITED VISION & PH.O.T / 1996 / 2000

item

MARC BUHRE THIES WULF
HANDSCHUHSHEIMERLANDSTR.28
69120 HEIDELBERG, GERMANY

++ 49 - (0)6221 - 402063, TEL.
++ 49 - (0)6221 - 402863, FAX
++ 49 - (0)172 - 2890289, MOBILE

ZEICHENWEG TM

90°   90°   90°

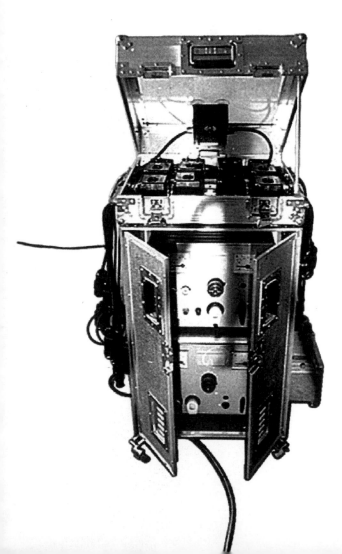

SABOTAGE Q 7,28 68161 MANNHEIM ++49-(0)621-21042 FAX 22342

ZEICHENWEG TM / 1994 / ARTISTSUPPORT : FORMGEBER

s:

take 5
kontrollstrasse 26
2501 ch-biel/bienne

10pm

saturdays at take5:

cream

1996
selected dj's on saturdays cream:

07.12.96
matthias heilbronn
nyc.

14.12.96
grant nelson
london

21.120.96
mandrax
nyc.

28.12.96
soulfuric records night
the urban blues project
and aston martinez

BÜRO DESTRUCT / 1996

1997

1997

1997

é c a l — MONO BASS CULTURE

DISCOVOLANTE / 1996 / 7000

DIE GESTALTEN / 1996-1997 / 7000

TECHNO HOUSE VIBES

DOWNTOWN
GEWERBESTRAßE · WEINHEIM

THURSDAY

warp

CLUB

DOWNTOWN AT .01.977

DISCOTHEK DOWNTOWN
GEWERBESTRAßE
WEINHEIM
JEDEN DONNERSTAG

LIFT'S YOU UP

THINK DESIGN / 1997 / 50 000 - 60 000

technoClub

FRIDAYS AT DORIAN GRAY

FRANKFURT AIRPORT	DRUG FREE ZON
TERMINAL 1, AREA C, LEVEL 0	FRIENDLY DOOR
TIMETABLE JULY **7.97**	ID REQUIRED

5000

SHA-KA-REE / 1994-1997

1000

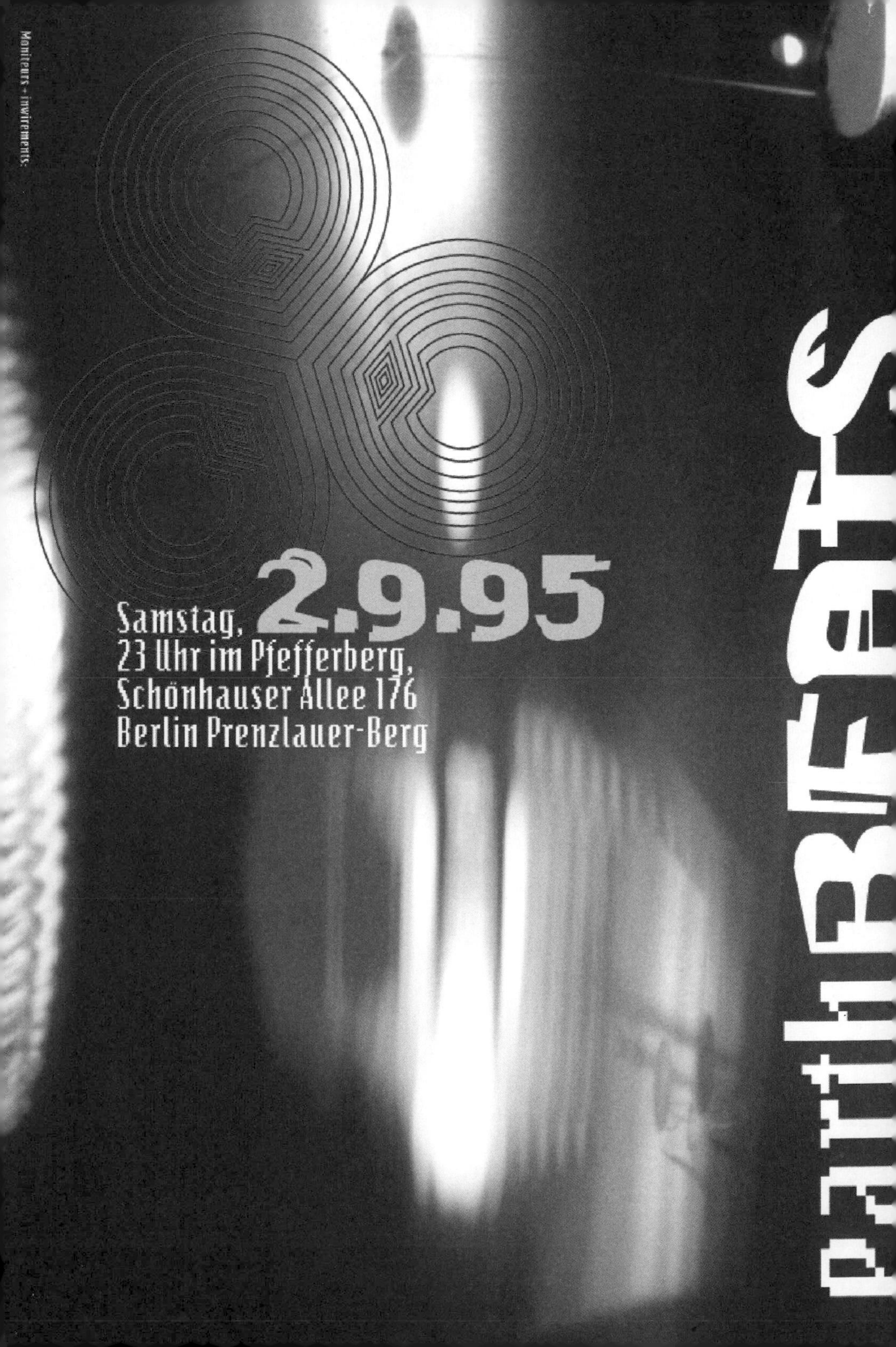

Moniteurs - invironments.
Samstag, 2.9.95
23 Uhr im Pfefferberg,
Schönhauser Allee 176
Berlin Prenzlauer-Berg
partyBRATS

earthBEATS
Samstag 23.4.94
23 Uhr im...
Schönhauser...

Freitag, **29.9.95**
21 Uhr
at Strike
S-Bahnbogen 178
Georgenstraße
am U/S-Bahnhof
Friedrichstraße

x.d.p.earth **CLUB**
opening

earth**BEATS**
Samstag. **19.3.94**

earth**BEATS**

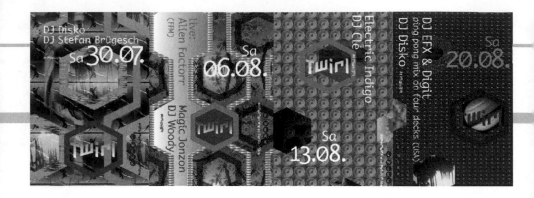

MONITEURS / 1994-1995 / 6000

KUNSTSTOFF 77 GMBH / 1996 / 20 000

magic vibes present the night of living spirits   go

29. June 96 (full moon), 22.00h -open end, Dj Magic (Cosmic Family, Germany/India) and friends. Locati
Weissenburg-Bad/old ruin from the 18th open air. From BE direction Interlaken (N6) crossroad Latti
(direction Wimmis) until Därstetten. Follow the privat guides or lights. Thanks to: Sea Mountain, Janosh, Tor

By train:	Departures:	Bern 22.26h	Arrival:	Spiez 22.57h	
	Departures:	Spiez 23.01h	Arrival:	Weissenburg 23.21h	Respect nature/sc

BÜRO DESTRUCT / 1996

Diese geometrische Komposition wirbt auf geheimnisvolle Weise für folgenden Anlass:
Freitag, 18. Juli, 20 Uhr, auf der Sommerbühne der Roten Fabrik

HXA (Russland) Musikspektakel
<The portable Orchestra of Mayor Brown>

im Vorprogramm: **HARALD 'SACK' ZIEGLER** (Köln)
<Mini-Operette mit Kinderspielzeug>

Vorverkauf benutzen!
Zürich: Billetzentrale, Crazy Best, Jamarico, Jelmoli City, Hard Attack, Migros City, RecRec, Winterthur:
MusikBox, Baden: ZeroZero, Bern: Lollypop, Biel: Lollypop, Luzern: Lollypop, St. Gallen: Bro Records

Billige Tricks #1   http://www.hugo.ch

CORNEL WINDLIN / 1997 / 3000

air vision: afterhours: 22:06:97 06:00 at gaskessel*

House/Progressive/Garage: DJ's at work: **Manuel Mind** (BE)(Sensor:Oxa:Energy)
Franctone (BE)(allover Switzerland) **Dave "Disco"** (ZH)(TBA Records) **Bad Baxter** (BE)(Panthera Records)

MARC KAPPELER / BLECH.ZÜRICH / 1997 / 10 000

30:05:97OPPARTY97 Doors:21.00 Entrance:15.-
DJs: **PABLO+FUNKY MOSQUITO** +Special Guest
‹HipHop:Funk›
In concert: **JEAN PIERRE** ‹Special Guest
‹Funk›

MARC KAPPELER / BLECH.ZÜRICH / 1997 / 5000

ZEICHENWEG TM / 1996

KUNSTSTOFF 77 GMBH / 1994

XS

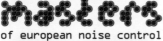

of european noise control

(TOBI!)

©TERRA UNOgraphx pr

9/7/2000-6>0:00>>6:00
dj pascal f.e.o.s.

16/7/2000-6>0:00>>6:00
dj mark spoon

23/7/2000-6>0:00>>6:00
live pa: arpeggiators + dj tom

30/7/2000-6>0:00>>6:00
live pa: acid jesus + dj "t"

6/8/2000-6>0:00>>6:00
dj jens mahlstedt

13/8/2000-6>0:00>>6:00
dj paul van dyk

20/8/2000-6>0:00>>6:00
live pa: hardfloor + dj paul cooper
+ dj oliver bonzio

saturday´s
<<departure : 0:00>>
club xs ffm
<<docking :6:00>>

willy brandt p.i.
X
frankfurt E-1

BÜRO DESTRUCT / 1996

**RADIO TV WALZ
(GIGA LIGHT-SHOW)
PRESENT:**

**A NIGHT WITH
PROGRESSIV/HOUSE AND
INTERNATIONAL DJ'S**

**ROBY SARTARELLI (VENEZIA)
DJ UP-ARP (FREIBURG D)
DJ EASY-Q (VENEZIA)**

**FR: 20/9/1996, BIERHÜBELI
NEUBRÜCKSTR. 20
BERN, DOOR: 22:00H**

**PRESALE: DER BUND-TICKET
CORNER AND ALL
OTHER TICKET CORNERS.**

BÜRO DESTRUCT / 1997

SUN PLECTRIC//
EDJ THOMAS FEHLMANN FROM THE ORB SOUND SYSTEM
THURSDAY 23.OCTOBRE 1997
REITSCHULE BERN DACHSTOCK
21:00

BÜRO DESTRUCT / 1996

BÜRO DESTRUCT

Lucky Strike. Nothing else.

EXKANDALO

**FIESTA VON
TRANCE & HOUSE
BIS RUMBA**

MACROTEAM PRESENT: **EXKANDALO! SAMSTAG:
NEU IM   24.MAI
BIERHÜBELI   14.JUNI
              16.AUGUST
HASTA LA VISTA!** TÜRÖFFNUNG: 21:00 UHR **20.SEPTEMBER**

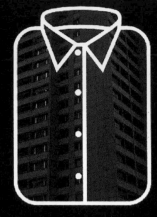

07 06 97

WELCOMEX PARTY / WEETHMIX CLUB DJ EN-TWAN & NICOLAS [TRACKS]
CH. PHILIBERT DE SAUVAGE GENEVE INFO 021 626 41 30 ENTREE: 8.-

welcomex

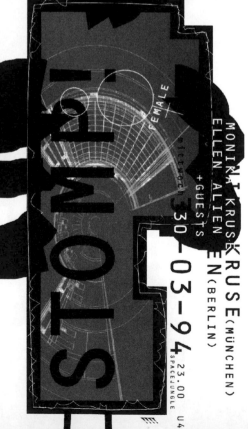

ABUSE INDUSTRIES / 1994 / 1000

PETER GÄRTL / BLECH.BERN / 1997 / 300

G house 96
Blümlisalpstrasse Uetendorf 13. April 20h

CRITZLER FONT INVESTIGATION

CRITZLER FONT INVESTIGATION

CRITZLER FONT INVESTIGATION

CRITZLER FONT INVESTIGATION

FACTOR PRODUCT MÜNCHEN / 1997 / 10 000 /   FRONT

BACK

der *zündfunk*   im kunstpark ost

FACTOR PRODUCT MÜNCHEN / 1997 / 5000

wildpitchparadisegaragemusic
zugast friends experiment aka n.meier und tobias thomas

M.O.N. / 1997

BIELLA FACTORY
ALEXANDER SCHÖNISTRASSE
BIEL BIENNE

H.REBER. HAP BÜRO DESTRUCT

BÜRO DESTRUCT / 1997

BÜRO DESTRUCT / 1997

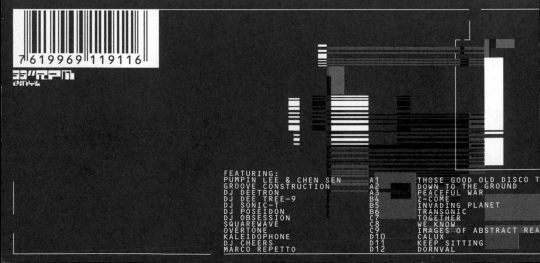

7 619969 119116

33⅓RPM
VINYL

FEATURING:
PUMPIN LEE & CHEN SEN	A1	THOSE GOOD OLD DISCO T
GROOVE CONSTRUCTION	A2	DOWN TO THE GROUND
DJ DEETRON	A3	PEACEFUL WAR
DJ DEE TREE-9	B4	Z-COME
DJ SONIC-T	B5	INVADING PLANET
DJ POSEIDON	B6	TRANSONIC
DJ OBSESSION	C7	TOGETHER
SQUAREWAVE	C8	WE KNOW
OVERTONE	C9	IMAGES OF ABSTRACT REA
KALEIDOPHONE	D10	CALUX
DJ CHEERS	D11	KEEP SITTING
MARCO REPETTO	D12	DORNVAL

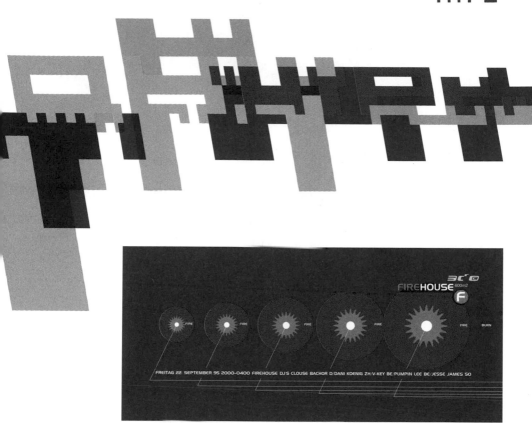

BÜRO DESTRUCT / 1995

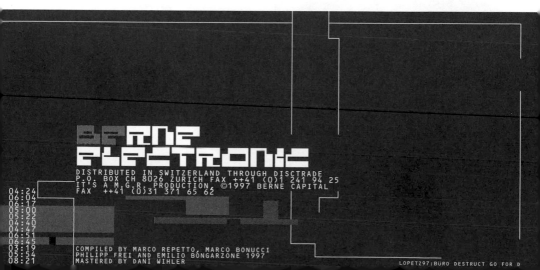

LOOP GURU
(GB)

Samstag **14. Juni** 97 ab 22h **Reitschule Bern** Dj's **SWO, Selectah J.** Vorverkauf: Record Junkie Kramgasse 8,
françois chalet

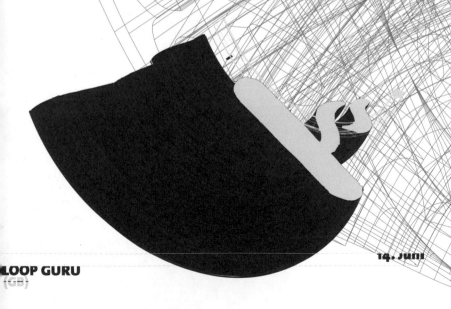

14. JUNI

LOOP GURU
(GB)

Samstag **14. Juni** 97 ab 22h **Reitschule Bern** Dj's **SWO, Selectah J.** Vorverkauf: Record Junkie Kramgasse 8, Bern
françois chalet/blech.bern

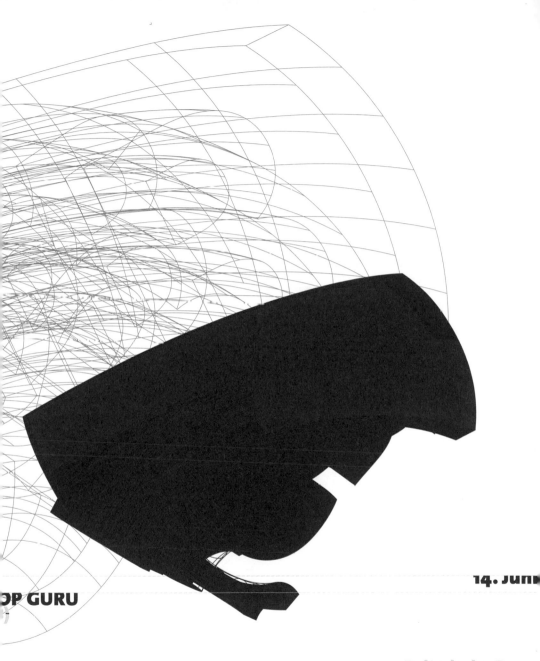

)P GURU

14. JUNI

tag **14. Juni** 97 ab 22h **Reitschule Bern** Dj's **SWO, Selectah J.** Vorverkauf: **Record Junkie** Kramgasse 8, Bern
x
françois chalet/blech.bern

x

x

x

FRANÇOIS CHALET / BLECH.BERN / 1997 / 2100

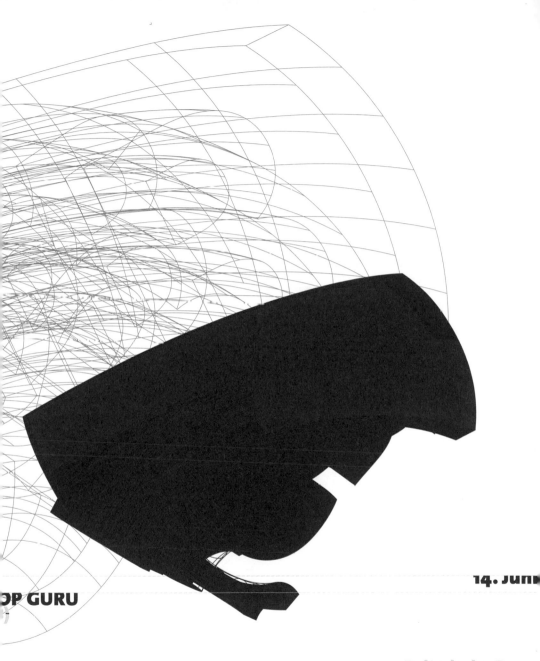

)P GURU

14. JUNI

tag **14. Juni** 97 ab 22h **Reitschule Bern** Dj's **SWO, Selectah J.** Vorverkauf: **Record Junkie** Kramgasse 8, Bern

françois chalet/blech.bern

FRANÇOIS CHALET / BLECH.BERN / 1997 / 2100

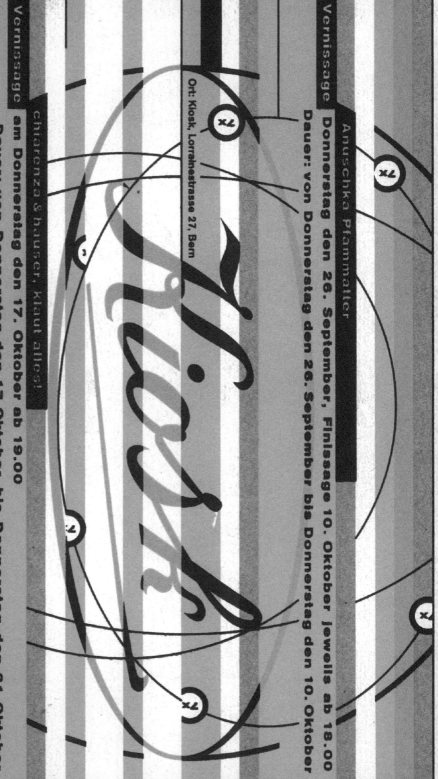

Anuschka Pfammatter

Vernissage Donnerstag den 26. September, Finissage 10. Oktober jeweils ab 18.00

Dauer: von Donnerstag den 26. September bis Donnerstag den 10. Oktober

Ort: Kiosk, Lorrainestrasse 27, Bern

chiarenza & hauser, klaut alles!

Vernissage am Donnerstag den 17. Oktober ab 19.00

Dauer: von Donnerstag den 17.Oktober bis Donnerstag den 31.Oktober

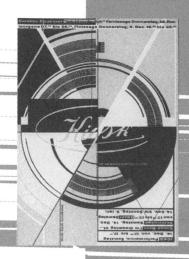

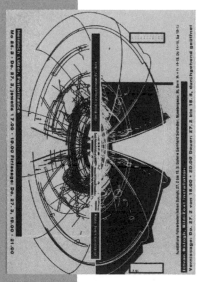

MARTIN WOODLI / BLECH.ZÜRICH / 400

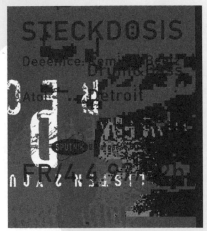

DENISE MAGIERA / 1997 / 250

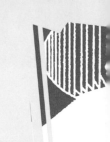

CORNEL WINDLIN / 1994

CORNEL WINDLIN

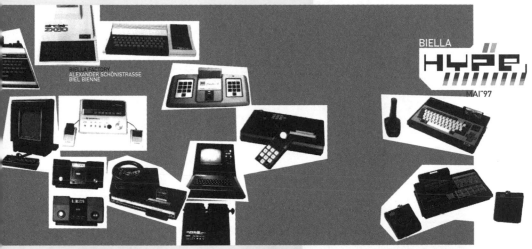

BÜRO DESTRUCT / 1997

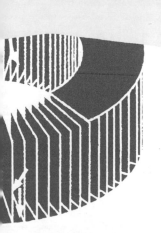

BÜRO DESTRUCT / 1997

CORNEL WINDLIN / 1994 / 1200

FACTOR PRODUCT MÜNCHEN / 1996 / 2000

MARC KAPPELER / BLECH,ZÜRICH / 1997 / 5000

KONZEPT UND REGIE:
PETER SPILLMANN

INVITATION PERMANENTE

:MIT EINEM BEITRAG VON:

EINTRITT FR. 15.-/MITGLIEDER FR. 10.-; 3 SOIRÉES FR. 40.-/FR. 25.-
SHEDHALLE, SEESTRASSE 395, 8038 ZÜRICH; FON 01-481 59 50, FAX 01-48

SOIRÉE **BLANCHE**
Freitag 23:12:94, Bar ab 20:30

SOIRÉE **ROUGE**
Freitag 13:01:95, Bar ab 20:30

SOIRÉE **NOIRE**
Freitag 27:01:95, Bar ab 20:30

DREI VERANSTALTUNGEN IM RAHMEN DER AUSSTELLUNG 'MERRY-GO-ROUND'

24.11.1996 feierwerk . hansastr. 39
trip hop . house . drum & bass |live| booking:
                                                    musikhaus rec. 089.4136-947/-935   20.00

booking:

sonntag 24.11.1996 feierwerk . hansastr. 39   live   booking:
trip hop . house . drum & bass .   musikhaus rec. 089.4136-947/-935   20.00 uhr

24.11.1996 feierwerk . hansastr. 39   live   booking: 20.00 uhr
trip hop . house . drum & bass .   musikhaus rec. 089.4136-947/-935

booking:
|live| musikhaus rec. 089.4136-947/-935   20.

SA:15:03:97:Night of the open Mind
from TripHop to Independent

gaskes

design:kappeler/blech,zürich

Konvex 01	DJs of the IP?-Connection	Indie, Darkwave, Industrial	Konvex 02	Illusion Perdue?	Plattentaufe	& Special Guest Tenter
	DJ Sweep	TripHop, Acid Beat				
	DJ Soggrific	Jungle, Breakbeats	Doors:21:00h-Gaskessel-Sandrainstrasse 25-3007 Bern

SLACKER
music

Freitag 10.05
DJ MISS DJAX
djax up beats, eindhoven
DJ PAUL EVANS
london
DJ LESTER
ultraschall, münchen
house area
DJ BARBARA, münchen
DF DARRYL, london

amstag 11.05
CLEAR / CHEAP RECORDS NIGHT
GREGORY FLECKNER QUINTETT
live pa - clear, london
DR ROCKIT
live pa/dj - clear, london
DJ HAL UDELL
clear records, london
SLUTS 'N' STRINGS
live pa - Cheap, wien
DJ PATRICK PULSINGER cheap, wien
DJ ERDEM TUNAKAN cheap, wien
plus special guests

(STRADA / 1996)

february 1997

FFWD
FAST FORWARD ▶▶
millennium

FACTOR PRODUCT MÜNCHEN / 1997 / 10 000

---

sputnik reactor afterhour club

09. 02. 97 05.00 till 12.00 | DJs: nico | cyborg
tower resident, BS | BE

gaskessel, sandrainstrasse 25, 3007 bern/near marzilibad | gaskessel

---

sputnik reactor afterhour club

02. 02. 97 05.00 till 12.00 | DJs: mandrax | mike levan

gaskessel, sandrainstrasse 25, 3007 bern/near marzilibad | gaskessel

---

sputnik reactor afterhour club

19. 01. 97 05.00 till 12.00 | DJs: Lou Lamar | matz
kaufleuten, ZH

3X MARTIN WOODLI / BLECH.ZÜRICH / 1997 / 3000

gaskessel, sandrainstrasse 25, 3007 bern...

ERROR: limitcheck
OFFENDING COMMAND: fill

STACK:

```
%!PS-Adobe-2.0 EPSF-1.2
%%Creator: ASCI(R) 3.31
%%Title: Dokument1 (Page 1)
%%CreationDate: 06.12.95 14:12 Uhr
%%DocumentProcSets: ASCI_EPS_3.31 1.0 2
%%DocumentSuppliedProcSets: ASCI_EPS_3.31 1.0 2
%%DocumentProcessColors: Black
%%DocumentCustomColors: (PANTONE Orange 021 CV)
%%CMYKCustomColor: 0 .56 .87 0 (PANTONE Orange 021 CV)
%%DocumentData: Clean7Bit
%%LanguageLevel: 1
%%BoundingBox: 0 0 420 298
%%EndComments
```

DON VALENTINITSCH + DER KÖNIG VON HONOLULU / 1997 / 5000

999

rote liebe

Geh'n wir alle nach Hause und legen uns schlafen

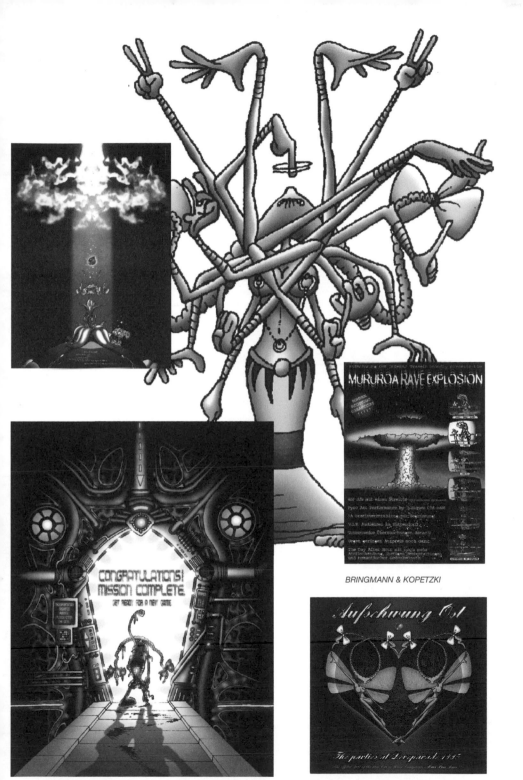

MURUROA RAVE EXPLOSION

BRINGMANN & KOPETZKI

CONGRATULATIONS!
MISSION COMPLETE.

Aufschwung Ost

1997 / 35 000

SUNDAY HIGH NOON

No 1

MARK "Quickfinger" SPOON vs. PIERRE the Kid

SO 17 .3 .96
ab 12 :00 h

AUFSCHWUNG EAST KASSEL TOWN
Für eine Hand voll Dollar...

BRINGMANN & KOPETZKI / 1996 / 10 000

SUNDAY
HIGH NOON

No 2

Doc F.E.O.S. vs.
Rattlesnake MARKY

SO 14.4.96
ab 12:00 h

AUFSCHWUNG EAST KASSEL TOWN
Für eine Hand voll Dollar...

BRINGMANN & KOPETZKI / 1996 / 10 000

CORNEL WINDLIN / 1997 / 500

DIE GESTALTEN / 1996 / 1500

THB

AVIGNON / 1996 / 1000

ELK

3jahre das fest
waßerwerk

freitag 16.februar: los legos, harry, m.l.e. smiles, hillibillies from outerspace,
hösli & friends, the ventilators
samstag 17.februar: dan clan, baby jail, surprise, ineffect , mão zinha,
female trouble, r.a.p.
türöffnung: 20.00 uhr, konzertbeginn: 21.00 uhr, vorverkauf. chop records bern

BÜRO DESTRUCT / 1997

turntable poetry with 7 deejays'

BERNE'S
FUNKIEST

BÜRO DESTRUCT /1996

FRANÇOIS CHALET / BLECH. BERN / 1997 / 5000

FRANÇOIS CHALET / BLECH. BERN / 1995 / 2100

PETER GÄRTL / BLECH.BERN / 1996 / 2500

KUNSTSTOFF 77 GMBH / 1997 / 160 000

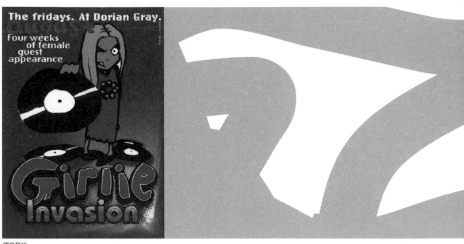

(TOBI!)

BRINGMANN & KOPETZKI / 1995 / 35 000

KUNSTSTOFF 77 GMBH / 1997 / 30 000

BÜRO DESTRUCT / 1996

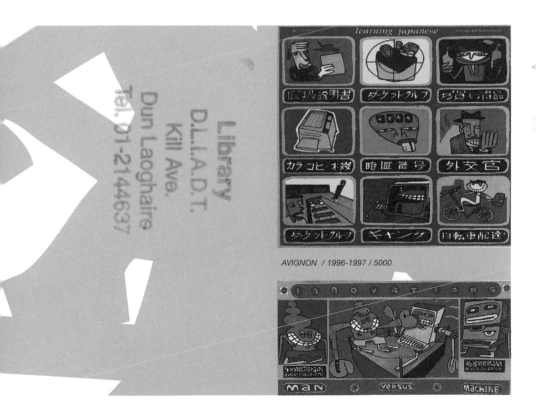

AVIGNON / 1996-1997 / 5000

TAKT:

...se Industries
...eltgasse 10/7
...en/ Austria

...vignon
Fax: +49/ 30/ 6929270
Internet: www.jim avignon.com

Bringmann & Kopetzki
Friedrich- Ebert Str. 82
D - 34119 Kassel
Tel: +49/ 561/ 16 222
Fax: +49/ 561 / 16 220
Kontakt: einer von beiden
Kunden: Stammheim / Groove und so dies
und das...

Büro Destruct
Wasserwerkgasse 7
CH - 3011 Bern
Tel: +41/ 31/ 312 63 83
Fax: +41/ 31/ 312 63 07
Email: lopetz@bermuda.ch
Internet: www.bermuda.ch/bureaudestruct
Kontakt: Lopetz
Kunden: Div.

Crazy World Productions
Zehdenicker Str. 11
D - 10119 Berlin
Tel: +49/ 30/ 44914 96
Kontakt: Nana Yuriko
Kunden: Tresor, Hysteria!, Ali Kepenek,
Catfoodsushi u.a.

Critzler Font Investigation
Zehdenicker Str. 11
D - 10113 Berlin
Tel: +49/ 30/ 4492414
Fax: +49/ 30/ 4492414
Email: critzla@berlin.snafu.de
Kontakt: Critzler
Kunden: BMG, WEA, Formaldehyd Rec., MFS
Berlin, Mercury, Polygram, Pro Sieben, Flyer
Berlin, Jet-Stream Records

Cornel Windlin
Quellen Str 27
CH - 8005 Zürich
Tel: +41/ 1/ 271 90 66
Fax: +41/ 1/ 272 43 01

Denise Magiera
Zentral Str. 40
CH - 2502 Biel
Tel: + 41/ 32/ 3221925

Discovolante
Ch. du Petit- Flon 25
CH - 1052 Le Mont- Sur- Lausanne
Tel: + 41 / 21/ 643 10 50
Fax: + 41/ 21/ 643 10 59
email: cario67@mail.com
Kontakt: Gilles Gavillet, Stephen Delgado
Kunden: all good clients

Don Valentinitsch + der König von Honolulu
Vorrath Str. 5
45139 Essen
Tel: +49/ 201/ 236708
Email: tino.valenti....@uni-essen.de
Kontakt: Tino Supermodel Valentinitsch
Kunden: Honolulu United, Dodge, Wallrop,
NTT, Emi, Club Trinidad, Rote Liebe, Mono,
Koziol, Sony, di(sain)

Factor Product München
Comenius Str.1
D - 81667 München
Tel: +49/ 89/ 489 00 255
Fax: +49/ 89/ 489 00 257
Kontakt: S. Bogner

François Chalet /Blech.Bern
Altenberg Str. 28
3011 BERN / Suisse
Tel: + 41/ 31/ 333 60 20
Fax: + 41/ 31/ 333 60 20
Email: blechchalet@data.comm.ch
Kontakt: François Chalet
Kunden: Reithalle Bern, GSoA
Schweiz, SoDA Magazin, Beam
Records, Slingshot Films ,Tagwacht
Bern

Hell Inc.
Berlin / Deutschland
Tel: +49/ 30/ 443 48 79
email: inhell@berlin.snafu.de

HinderFreiSchlatterFeuz Grafik
Bubenbergs Str. 10
CH - 8045 Zürich
Tel: +41/ 1/ 451 61 34
Fax: +41/ 1/ 450 72 08
Kontakt: Ueli, Nik, Stefan

Kunststoff 77 GmbH
Rostocker Str.9
D - 65191 Wiesbaden
Tel: +49/ 611/ 1899083
Fax: +49/ 611/ 1899084
Kontakt: Peer,Amino,Marco
Kunden: u.a. Sony, Intercord, Dorian
Gray, General Electronic Music, Omen,
Park Cafe, The Box, Opel, Ragwear,
Homeboy, Epic

Le Hammond Inferno
Muster Str. 7
Berlin / Deutschland
Kontakt: Martin Mustermann
Kunden: Welt Muster AG

Lilly Tomec
Tel: +49/ 30/ 265 28 27
Email: lilly@berlin.snafu.de

Marc Schilkowski
Brandenburgische Str. 28
D - 10707 Berlin
Tel: +49/ 30/ 885 40 98
Fax: +49/ 30/ 885 40 99
Email: schilko@snafu.berlin.de
Kontakt: Marc Schilkowski
Kunden: MfS, Studio K7, Edel, Emi,
Motor (Strictly Rhythm, Urban, Kontor
Rec. etc.) MCA (Universal), Sony, WDN,
Tendance etc.

Marc Kappeler / Blech.Zürich
Acker Str. 57
CH - 8005 Zürich
Tel: + 41/ 1/ 272 94 12
Fax: + 41/ 1/ 272 94 12
Email: mkappeler@access.ch
Kontakt: M.Kappeler
Kunden: Gaskessel,Bern/ Energetic
Record,Zürich/ Painex Ltd./ Tokyo, N.Y,
Bern

Martin Woodtli/ Blech.Zürich
Acker Str. 57
CH - 8005 Zürich
Tel: +41/ 1 / 272 94 12
Kontakt: M.Woodtli
Kunden: The British Council, BE /
Bundesamt für Gesundheit, BE /
Energetic Records, ZH/ Gaskessel, BE
/Grosse Halle, BE / Kiosk durch
Kunstkanal, BE/ Peepfinm/ Hamburg

M.O.N.
Tel: +49/ 171/ 7455715

Moniteurs
Nollendorf Str. 11/ 12
D - 10777 Berlin
Tel: +49/ 30/ 215 0088
Fax: +49/ 30/ 215 0089
Email: moniteurs@moniteurs.de
Internet: www.icf.de/moniteurs
Kontakt: Heike Nehl, Sibylle Schlaich, Heidi
Specker
Kunden: u.a. Deutschewelle TV, Design
Zentrum Nordrhein Westfalen, Fontshop, Philip
Morris Design Shop

O/R/E/L
Ölzeltgasse 10/7
Wien / Austria
Kunden: Sony Music, Polygram, Wea, EMI,
Diesel, Limelight N.Y., BMG Ariola, Rough
Trade, Tention Rec., Disko B, Morbid, SSR
REC., Verve Record, Cheap, Lodown Mag ,
Raveline Mag

Peter Gärtl / Blech.Bern
Länggasse 23
CH - 3600 Tuhn
Tel: + 41/33/ 223 62 91
Kontakt: Peter Gärtl (GÄRTL)

Planet Pixel
Hansaring 94
D - 50670 Köln
Tel: +49/ 221/ 9123 913_
Fax: +49/ 221/ 9123 914
email: planetpixel@netcologne.de
Kontakt: Oliver Funke, Anja Wülfing
Kunden: Raveline, Roadrunner Germany,
Sierra Coktel, Synthesizer Studio Bonn,
Neuropol, Psycho Thrill, Elevator/ Reloop
Geräte

Ralf Odermann
Dietrich Benking Str. 35
D - 44805 Bochum

Sha-Ka-Ree
Altenbochumer Str.1
D - 44803 Bochum
Tel: +49/ 234 / 3250721
Fax: +49/ 234 / 3250724 / 336355
Email: volker.brunswick@bochum.netsurf.de
Kontakt: V.Brunswick

(STRADA
Lindwurm Str.71
D - 80337 München
Tel: +49/ 89 / 531 853
Fax: +49/ 89/ 532 270
Email: <strada@x3network.net>
Kontakt: Tina Winkhaus/ Stefan Rückerl
Kunden: Ultraschall, Disko B

Thöni Philipp
Rütlistrasse 13
Ch - 3014 Bern
Tel: +49/ 31/ 333 3984

Think Design
Münchener Str, 11
D - 60329 Frankfurt
Tel: +49/ 69 / 242 77778
Fax: +49/ 69 / 242 77779
Email: think@deutschland.de
Kontakt: Jochen Thamm
Kunden: Groove Magazin,Sony Music, Music
Research, BMG Ariola, Liquid Rec.

(TOBI!)
Dotzheimer Str 43
D - 65185 Wiesbaden
Tel: +49/ 611/ 372242
Fax: +49/ 611/ 370045
Email: tobias.gel....@wiesbaden.netsurf.de